363.7
Y96
2012 Hong, Yun-hui
El gran poder de la naturaleza / Yun-hui Hong;
ilus. Sun-ho Kim; trad. Zoraida Vásquez Beveraggi. —
México: Libros para Imaginar, 2012.
32 p. : il.

ISBN: 978-607-95370-9-8

1. Medio ambiente – Protección. 2. Educación ambiental.
3. Literatura infantil. I. Kim, Sun-ho, il. II. Vásquez Beveraggi,
Zoraida, tr. III. t. IV. Ser.

Título original: *Great power of nature*

Esta edición en español se publica en acuerdo con Aram Publishing
a través de The ChoiceMaker Korea Co.

Primera edición en español SEP / Libros para Imaginar, 2012
Segunda edición en español: Libros para Imaginar, 2012

D.R. © Libros para Imaginar, S.A. de C.V., 2012
Camino Santa Teresa 890, Torre XI-303,
colonia Santa Teresa Contreras,
10740, México, D.F.
Teléfono / Fax: (55)5849 4680
info@librosparaimaginar.com

ISBN: 978-607-95370-9-8

Edición: Ixchel Delgado Jordá
Formación y tipografía: Nuri Farré

Impreso en México

El gran poder de la naturaleza
se imprimió en los talleres
de Reproducciones Fotomecánicas,
S.A. de C.V., con domicilio en
Democracias 116, colonia San Miguel
Amantla, delegación Azcapotzalco,
c.p. 02700, México, D.F.,
en el mes de octubre de 2012.
El tiraje fue de 3000 ejemplares.

El gran poder de la naturaleza

Yun-hui Hong

Ilustraciones
Sun-ho Kim

La naturaleza está hecha
de agua, tierra y aire.
Estos elementos se juntan
para que el pasto y los árboles
crezcan, y vivan los animales.

La naturaleza nos ofrece
lo mejor para vivir.
Pero, cada tanto, nos asusta.

El agua es necesaria para todos
los seres vivos.
Los animales beben agua y las plantas
absorben agua.

Pero, si no llueve por mucho tiempo...

¡Hay una sequía!
Los ríos se secan y se agrieta el suelo.
Las plantas comienzan a secarse y a
morir, y los animales pasarán hambre.

Cuando llueve, todo revive.
Los árboles crecen volviendo más denso
el bosque y los ríos suenan al correr.

Pero, si llueve intensamente…

¡Hay una inundación!
Las casas serán cubiertas
por las aguas.
Las montañas se deslavarán.
Los ríos se desbordarán,
arrastrando todo
lo que encuentran.

El suelo está hecho de tierra.
Construimos casas sobre el suelo
y vivimos sobre el suelo.

Pero, si el suelo de pronto se sacude…

¡Tenemos un terremoto!
El suelo se va a agrietar.
Las casas y los edificios se colapsarán
en segundos, y mucha gente morirá.

Entre las montañas hay volcanes que contienen mucha energía. Las altas temperaturas que hay bajo el suelo calientan el agua subterránea que sale en forma de manantiales.

Pero si el calor y la presión aumentan...

¡Los volcanes hacen erupción!
La lava hirviente va a derramarse por las laderas y todo el pueblo se cubrirá de cenizas.
Va a ser difícil respirar debido a los gases que emite el volcán.

El viento es aire en movimiento.
Seca la ropa y refresca nuestro cuerpo,
y también seca la transpiración.

Pero si el viento sopla demasiado
fuerte...

¡Tenemos un huracán!
Los vidrios se van a quebrar
y las paredes colapsarán.
Las líneas eléctricas se van
a cortar y volarán los techos.
Los huracanes traen mucha lluvia,
que puede causar más destrozos aún.

Así es el poder de la naturaleza.
Lo que podemos hacer es estar atentos a los cambios de la naturaleza y tratar de trabajar duro para reducir los daños.

Monitorear permanentemente los lugares donde los volcanes pueden hacer erupción.
Construir muros de contención
en la playa para prepararse
para las grandes olas.

Pero lo más importante
es no destruir la naturaleza.
Debemos estarle agradecidos
porque la naturaleza hace
que todas las cosas en el mundo
vivan y se muevan.

Los desastres naturales suceden en todo el mundo

Todos los años, en el mundo ocurren desastres naturales devastadores. Por eso, mucha gente muere o bien es afectada por los grandes daños que causan. Veamos qué desastres naturales han ocurrido a lo largo del tiempo.

La erupción del volcán Vesubio

Pompeya era una ciudad italiana muy hermosa. El 24 de agosto del año 79 de nuestra era, hizo erupción el monte Vesubio, expulsando lava y cenizas. Toda la ciudad quedó enterrada debido a la erupción.

El terremoto en Haití

El 12 de enero de 2010, un intenso terremoto sacudió Haití. Después del primer temblor, ocurrieron muchos temblores menores. La mayor parte de los edificios colapsaron y la gente quedó atrapada bajo los escombros. Mucha gente murió o resultó herida.

Ciclón de Bangladesh

Cada año, Bangladesh es acometida por ciclones extremadamente poderosos. Los ciclones traen vientos intensos y grandes cantidades de agua que causan muchos estragos. Los lugares por donde pasa un ciclón se ven afectados por desastres irreparables.

Sequías en el Este de África

Los países africanos, como Somalía, Kenia y Etiopía, soportan severas sequías. Hay incendios y el suelo se agrieta, las plantas dejan de crecer y los animales mueren. Cada año, las sequías se agravan, por eso la gente sufre de hambre y enfermedades.

¿Cómo ocurren los terremotos?

El suelo está formado por muchas capas, llamadas estratos. Si comprimes los lados del estrato, éste se va a curvar y eventualmente se quebrará. Por esta razón ocurren los terremotos. ¿Hacemos un experimento con plastilina, que simule la curvatura de los estratos?

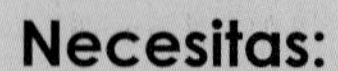

Necesitas:

Varios trozos de plastilina de diferentes colores.

Dos planchas de acrílico transparente.

Instrucciones:

1

Haz varios estratos apilando cinco capas de plastilina de diferentes colores.

2

Pon una plancha de acrílico transparente en cada lado.

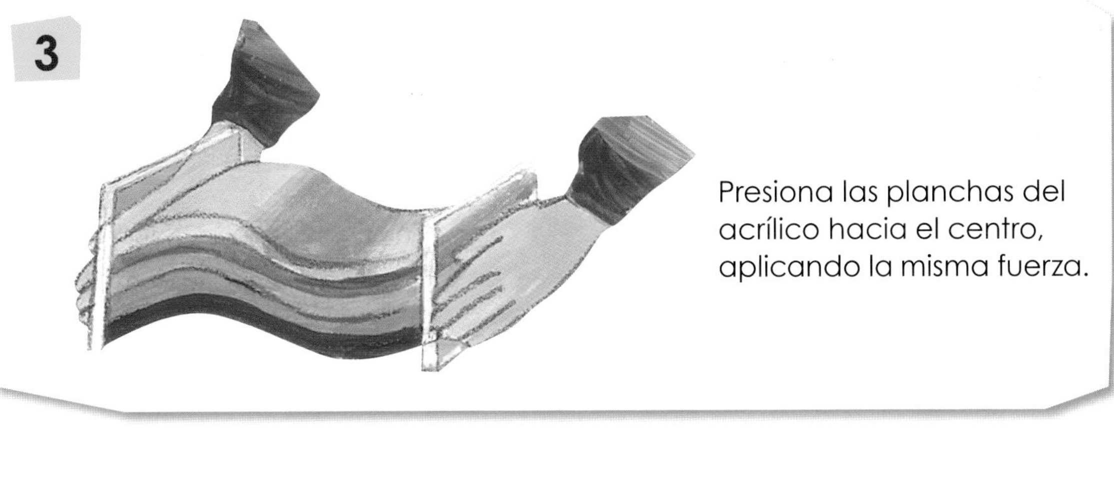

Presiona las planchas del acrílico hacia el centro, aplicando la misma fuerza.

¿Cómo se doblan los estratos de plastilina?

Cuanta más fuerza aplicas sobre las planchas de acrílico, el centro de la plastilina se dobla y se levanta más. Este fenómeno ocurre todo el tiempo debajo del suelo en el que vivimos. Muchas de las actividades de la naturaleza contribuyen a comprimir los estratos y cuando éstos ya no pueden soportar más la presión suceden los terremotos.